ROMEO@JULIETTE

MANU CAUSSE

Illustré par Sylvie Serprix

Pour Geo.
Pour la 5B et toutes les autres.
M. C.

DANS LA MÊME COLLECTION :

- *Surprise Party,* d'Alice Caye
- *Double Duel,* de Nancy Boulicault
- *Secret Divorce,* de Sophie Michard
- *Train 2055,* d'Alice Caye
- *Melting Potes,* de Davina Rowley

L'auteur remercie Célia Plisson et Armelle Boussidar pour leur relecture, leurs conseils et leurs encouragements.

L'Éditeur tient à remercier particulièrement :
– Madame Michèle Courtillot, professeure agrégée, chargée de mission auprès du recteur de l'Académie de Paris ;
– Madame Sabine Delfourd, professeure des écoles à l'École active bilingue Monceau, Paris ;
– Madame Martina Mc Donnell, enseignante-chercheuse au département de Langues et Sciences humaines de l'Institut national des Télécommunications (INT), Évry ;
pour leurs précieux conseils.

Avec la participation de Regan Kramer.

© 2006 Éditions Talents Hauts.
ISSN : 1777-4780   ISBN : 2-916238-10-7

Juliette Crosne
Classe de 4e1 – Collège Jacques Prévert
Villeneuve-de-Lauragais, le 7 octobre

Bonjour,

Je m'appelle Juliette et j'ai 13 ans. Je suis fille unique. J'ai un chien, Félix. Je suis en classe de 4e* au collège Jacques Prévert de Villeneuve-de-Lauragais. J'habite dans un petit village. Avant, je vivais en ville, à Toulouse, qui est à une cinquantaine de kilomètres d'ici, mais mes parents viennent de déménager. Je suis donc nouvelle dans ce collège.

Cette année, mon professeur d'anglais s'appelle M. Servier. Il organise cet échange de lettres entre nos deux écoles. Il parle aussi d'un voyage en Angleterre, mais cela n'est pas vraiment sûr. De toute façon, je n'ai pas très envie de visiter votre pays. M. Servier a dit que chaque élève de votre classe choisira son correspondant. Donc, je souhaiterais correspondre avec une fille qui, comme moi, aime la danse, la musique et la lecture.

Je n'ai pas grand-chose d'autre à dire. Je ne suis pas timide, mais je n'aime pas parler de moi à quelqu'un que je ne connais pas. C'est aussi pour cela que je préfère ne pas envoyer de photographie.

Au revoir

Juliette

Mark Hempton
Year 10 – Ash Close High School
London, November 3rd

Hi Juliette,

My name is Mark, and I'm 14. I'll be your pen-pal* for this year.

I'm in Year 10, and my French teacher is called Ms Da Silva (I don't think that's a French name…).

It's my first term in Ash Close High School. Last year, I lived in the country near a small town called Bakewell – and I attended school there – so I'm new at my school too. Now, I live with my mother in East Finchley, a district of London. I have an elder sister, Eileen. She's 23 and lives in Scotland.

I like playing the guitar and football (I'm enclosing a picture of myself with my favourite team shirt on).

My French is really poor, so you'll have to write simple things. Ms Da Silva says we are going to use email instead of postal mail. So you can write to me at mark.hempton@ashclose_school.gov.uk or to my home email address: markhemp@netmail.co.uk.

The teacher asked us to write 15 lines, so I'm done.

Bye

Mark

Juliette Crosne
Collège Jacques Prévert
Le 27 novembre

Cher Mark,

Je ne peux pas encore t'écrire par mail. Je n'ai pas d'ordinateur* à la maison (ni de téléphone d'ailleurs !) et le réseau du collège ne fonctionne pas encore très bien.

De toute façon, tu n'as pas l'air d'avoir très envie de correspondre* avec moi. Je me demande bien pourquoi tu m'as choisie, d'ailleurs, alors que j'avais expliqué que je voulais une fille. J'ai demandé au professeur de changer de correspondant*, mais il m'a répondu que ce serait impossible pour cette année.

En revanche, si nous faisons réellement un voyage d'échange, je serai certainement avec une fille – que je ne connaîtrai pas, évidemment. Mais quelle importance ? De toute façon, je ne connais presque personne dans ma classe, toutes mes amies sont restées à Toulouse.

Le professeur nous demande de vous poser des questions sur votre vie quotidienne et de vous expliquer comment fonctionne un collège en France.

C'est simple : je prends le car le matin vers 7 h 10, et j'arrive au collège vers 7 h 45. Nous avons cours le matin de 8 h 15 à 12 h 05 et l'après-midi de 13 h ou 14 h à 17 h. Je reste en étude jusqu'à 18 h en faisant mes devoirs, puis je reprends le car, et je suis chez moi entre 18 h 30 et 19 h.

Quand j'arrive à la maison, il fait nuit, et mes parents sont fatigués car ils travaillent toute la journée. Nous mangeons et, comme nous n'avons pas la télé (la nôtre est tombée en panne avant le déménagement et mes parents ne trouvent jamais le temps d'aller en acheter une neuve), nous lisons ou nous allons nous coucher. Et le lendemain, ça recommence.

Est-ce que cela te semble une vie ennuyeuse ? À moi, oui. Terriblement.

Avant, quand je vivais à Toulouse, tout était différent. J'avais des amies. Nous pouvions aller au cinéma ou à la piscine, ou encore surfer* sur Internet à la média-thèque.

Tu as bien de la chance d'habiter en ville. À moins que ça te soit égal, vu que, comme tous les garçons, tu ne t'intéresses qu'au foot…

Je me demande bien pourquoi je te parle de ça. Tu vas probablement me répondre en comptant le nombre de lignes ; et puis je dois me contenter de dire des choses simples, vu que tu es mauvais en français… Décidément, je ne crois pas que cette correspondance* nous apporte grand-chose.

Voilà pour cette fois. À toi.

Juliette

Mark Hempton
Ash Close High School
Tuesday Dec. 7th

Hi,

First, let me say that I'm embarrassed to have a girl pen-pal too. You have to understand that I started school a bit late this term* and when I got to French class, you were the only pen-pal left. No offence meant, of course.

So, my first letter was very short, because I didn't really know what to say. Plus, I had to write it fast, because the rest of the group had already finished. I suppose I should apologize.

You don't like football or living in the country, and I don't like dancing or living in the city. That's a starting point. We can make lists, can't we?

OTHER THINGS I LIKE THAT YOU PROBABLY DON'T: rock music (I like the White Stripes, Bloc Party and the Strokes); cycling (I used to spend a lot of time mountain-biking with my friends when I lived in Bakewell); science fiction and heroic fantasy. I've read all the *Lord of the Rings* books, and I enjoy Terry Pratchett's *Discworld* novels. Do you know him?

THINGS THAT I DISLIKE AS MUCH AS YOU DO: school, of course. I mean, I enjoyed being at school when I was a kid, learning science and arts and all; but now, I feel like it's pretty useless. I can't see the point in staying at school for so long when you could be out there in real life. And yet I can't complain, because you wrote me that French people spend up to 12 hours a day at school, including transport… You're right, that's really awful!

My mother's flat is in East Finchley, only 10 minutes walk from my school. We go to school from 8:45 to 1:30 and from 2:30 to 3:30. After that, we can practise sports, music or acting, or simply go to the school library to do our homework. I take guitar lessons on Mondays and Thursdays, and attend drama* class on Wednesdays – actually, we're supposed to put on Shakespeare's *Romeo and Juliet* this year (funny coincidence!).

I could be playing football and hockey with the school team on Tuesday and Friday, but I broke my ankle last term in Bakewell and am still recovering from it. It's not so bad, because it leaves me some spare time, but most of my schoolmates are in those teams, and they think music and theatre are for chicks (that's girls, in slang), so they tend to look down on me. So what? You and I have at least one thing in common: we don't care for people that don't think about anything besides football.

Back to my list:

THINGS WE SEEM TO HAVE IN COMMON: not being very popular at school – although I dislike that word. Last year, in Bakewell, there was no such thing as being "popular". We all knew each other pretty much since nursery school. Actually, my best friend Alan used to say that "we had been mates since we were old enough to remember".

Another thing we have in common, then: we miss our friends. Alan was really funny, clever and always in a good mood. We had even formed a rock band, and I think we were great… I know I should look for new friends here, but I just can't be bothered.

In the beginning of the term, I used to phone Alan every few days; now, we just e-mail from time to time. I thought I might see him when I went back to my Dad's in Bakewell for second-term* holidays but then my father told me we wouldn't be there: he's moving now to Scotland. He's a photographer, and he says he wants to discover new landscapes. He's considering buying an old farm in the countryside, with no electricity or phone, and living there. I'd go to his place on holidays. Later on, he'll rent a flat in London so that he can come and see me every other weekend.

Why am I telling you all this? Oh, yes, the list of things in common: we don't have a home phone (at least, for me, not all the time). The good thing is, my parents finally bought me a mobile phone… although I don't know if it will work in Scotland! So, if you ever want to call me, my number is + 44 (that's the country code for Britain that you must dial from France) 7803165770.

I'm just kidding, of course… I don't know why you'd call me.

This letter is getting rather long, isn't it? I hope you don't have to look in the dictionary four or five times per sentence – like I had to do with your last letter, you know… but, then, it would just be another thing in common!

The last item of the list would be called "Things we both like"; but I don't know what you like –

actually, sometimes I feel like I don't even know what I like anymore…

Last year, I used to like… well, everything about my life, as a matter of fact. It seems like there were no questions, no problems at all. Everything was just fine.

You probably know that old song by the Beatles, *Yesterday*: Mum complains that I never stop playing it on my guitar (actually, it's an exercise, and quite a difficult one). But whenever I think of the words of that song, they seem to fit my feelings perfectly.

So, what do I like in my current life? Walking, I guess. There's a beautiful park called Hampstead Heath close to my mother's place; you can see all of London from there, and still feel like you're in the country. I like to go there on my own, and just sit for a while.

OK, there are loads of other things I like to do, of course. It's just that they aren't coming to mind right now.

This is a good place to end this letter, isn't it? I actually spent most of my afternoon writing it. It's pouring rain outside, and for once I'm quite happy not to be able to play football with the others.

I hope you're starting to think I might be something more than a stupid football guy. Now it's your turn to do the list.

Bye,

Mark

De : famille.crosne@homenet.fr
À : markhemp@netmail.co.uk
Date : 23 déc., 16:30
Objet : Pour Mark

Bonjour Mark

Comme tu le vois, nous avons enfin le téléphone et mon père a fini par installer l'ordinateur ; je peux donc t'écrire par e-mail.

Désolée de ne pas t'avoir répondu plus tôt, mais voilà deux semaines que je suis malade et que je reste à la maison. Sébastien, un garçon de ma classe qui habite près de chez moi, est passé vendredi dernier pour m'apporter les cours à rattraper. Ta lettre figurait avec eux. J'aurais voulu y répondre plus vite, mais il m'a fallu une grande partie de la journée pour la comprendre. Le début était difficile, mais je me suis peu à peu habituée et je pense avoir tout compris.

Ton idée de faire des listes m'a surprise et amusée. C'est d'ailleurs la seule chose amusante ici : je suis malade, et mes parents travaillent presque toute la journée.

J'ai pensé à une autre liste : celle des choses que j'adore et que je déteste en même temps. Rester au lit, par exemple. Normalement, le matin, quand le réveil sonne vers 6 heures, je rêve de pouvoir l'éteindre et me rendormir. Sauf que, maintenant, je suis obligée de rester au lit pratiquement toute la journée… et je déteste ça. Voilà presque deux semaines que je ne suis pas sortie. À cause de mes maux de tête, je ne peux même pas lire trop longtemps. La plupart du temps, je reste dans mon lit, à regarder passer les nuages. Par la fenêtre, je ne vois que les champs nus et sales sous la pluie – si au moins il pouvait neiger ! Le docteur ne sait pas bien ce que j'ai, et pense que je vais devoir rester au lit jusqu'après Noël.

Noël, encore une chose que j'aime et que je n'aime pas. Ici, en France, le 24 décembre, nous nous retrouvons en famille et nous nous offrons des cadeaux. Quand j'étais petite, j'adorais ça : je retrouvais mes cousines, nous nous amusions toute la journée. C'était toujours un moment extraordinaire. Mais cette année, nous allons rester ici, avec mes parents, parce qu'ils travaillent tous les deux et qu'ils préfèrent se reposer chez eux. Quant aux cadeaux, je ne sais pas pourquoi, ils me déçoivent toujours un peu. C'est peut-être que je grandis, tout simplement…

En fait, la liste que je suis en train de faire, c'est celle des choses que j'aimais quand j'étais petite et qui ne me plaisent plus. C'est comme habiter une maison à la campagne : tant que je vivais en ville, je me disais que ce serait génial d'avoir plein d'espace pour moi toute seule, pas de voisin pour me regarder de travers quand je fais du bruit ou que j'écoute de la musique… En réalité, je me retrouve tout simplement enfermée dans ma chambre sans personne à qui parler.

Cette liste-là, celle des choses qu'on croyait géniales avant qu'elles ne se réalisent, c'est la plus longue de toutes. Je crois que tout le monde la remplit. Mes parents, par exemple, ont décidé de venir habiter ici pour vivre à la campagne et pouvoir travailler ensemble (ils ont repris un restaurant à Villeneuve). Je crois qu'ils s'imaginaient que tout serait plus simple si Papa abandonnait son travail à Toulouse, qui ne lui plaisait pas, et que Maman l'aidait. Mais en réalité, ce n'est pas mieux. Je ne les vois plus beaucoup ; ils rentrent tard, ils sont très fatigués et je trouve même qu'ils se disputent plus souvent qu'avant.

Je préfère arrêter de parler de ça, ça me rend triste. En revanche, dans ta lettre, j'ai trouvé une chose que nous avons en commun. Si j'ai bien compris, tu dois jouer *Roméo et Juliette* à la fin de l'année. J'adore le théâtre. Quand j'étais à Toulouse, j'étais abonnée à une salle de spectacles et nous allions souvent voir des pièces.

Je dois te laisser, j'ai de nouveau mal à la tête. Tout ce que je voulais te dire, c'est que ta lettre m'a fait plaisir et que j'ai l'impression de pouvoir enfin parler à quelqu'un. J'espère que tu pourras me répondre rapidement.

Joyeux Noël !

Juliette

From: markhemp@netmail.co.uk
To: famille.crosne@homenet.fr
Object: For Juliette
Date: 3 Jan, 13:24

Dear Ju,

First of all, let me wish you a happy New Year.

I just got back from my father's and found your mail in my inbox*. It's a pity I didn't get it sooner – you seemed a bit sad just before Xmas. But, like I said, there's no phone or Internet at my father's house in Scotland. I thought of going to an Internet café in the city, but it was a five-mile ride and it rained and snowed everyday, so I just stayed in most of the time. Anyway, since I didn't know you were on the Internet, I wasn't expecting any interesting mail (that sounds like a compliment, doesn't it?)

So, when I came back to London, I was glad to hear from you. I don't know why, but it seems easier to talk to you than to anybody else I know. Maybe it's the fact that we've never met, and that I don't even know what you look like.

It took me quite a while to read your whole letter, and I had to look a lot of things up in my dictionary. But it was worth it – who knows, I may even improve my French this way…

I have something to add to the list of things I used to like and don't anymore: that would be the countryside.

Those days at my father's were far from what I expected. I thought I would enjoy the walks, the bicycle rides, the quietness of the place and the landscape... but I mostly got bored.

It's strange how out of place I felt there.

My father and I went out a couple of times for short trips in the district – he wanted to take pictures of the Scottish winter. Of course, it was nice to be with him, but I found the landscapes mostly sad and depressing – just like what you see from your windows.

In the end, I realized I was counting the days before my return to London. And, guess what? Almost as soon as I got here, I wanted to go back to my father's. Actually, it's funny, but the only time I felt alright was in the train from Glasgow to London...

So, once again, it was comforting to find your email, because, in a certain way, we feel the same. That cheered* me up a bit.

Two days after Xmas, my sister Eileen and her husband Bernard came to visit at my father's. I hadn't seen them for at least four or five months. I'm not that close to Eileen, since she's ten years older than me. We never had much in common, but it was nice to see her anyway, and Bernard is really funny.

Eileen is a school counsellor in Inverness. One evening, she tried to have a conversation with me about our parents' divorce and how I felt about it. I couldn't think of anything to say to her. It was strange: I had all these ideas in my head, but all I could say to her was "I'm OK" and "I don't care"...

Of course I care! And I'm not sure I'm really OK. But I couldn't say that. It was only when I got back and read your letter that I realised. So, in a way, your email was a kind of Xmas present!

I hope you got better, and that you're OK now.

Take care,

Mark

De : juliette@homenet.fr
À : markhemp@netmail.co.uk
Date : 5 janv., 19:20
Objet : Pour Mark

Cher Mark,

Je te souhaite une très bonne année. Comme tu le vois, j'ai changé d'adresse mail. Ça m'ennuyait que mes parents puissent lire tes messages.

Il faut que je te raconte la fin des vacances de Noël. Tu te souviens que j'étais malade ; je m'ennuyais beaucoup. J'aurais bien aimé recevoir de tes nouvelles, mais tu étais chez ton père pendant ce temps.

Le jour de Noël a été encore plus triste que ce que j'avais imaginé. Mes parents avaient organisé un réveillon (c'est un repas de fête) dans leur restaurant. Au début, j'avais prévu d'aller les aider, mais j'étais encore trop fatiguée. Je suis donc restée à la maison. Ma mère a proposé de rester avec moi pour me tenir compagnie, mais Papa avait besoin d'elle et je savais que j'irais au lit très tôt. Je me suis couchée avant 22 h : tu parles d'un soir de Noël !

Je me suis réveillée au milieu de la nuit, quand mes parents sont rentrés. Je les ai entendus se disputer. Je sais qu'ils étaient fatigués et qu'ils n'avaient pas eu beaucoup de clients, mais j'ai commencé à avoir peur.

Il faut que tu me dises, Mark : est-ce que tes parents se disputaient beaucoup avant leur divorce ? Est-ce que tu crois qu'on peut faire quelque chose pour éviter ça ?

Je n'ai pas pu me rendormir avant le matin et, du coup, j'ai passé presque toute la journée de Noël dans mon lit.

Le lendemain, les choses allaient un peu mieux : mes parents avaient pris un jour de repos et nous sommes restés tous les trois à la maison à écouter de la musique et à lire. J'aurais bien aimé leur parler de la dispute que j'avais entendue, mais je n'ai pas osé. Il aurait sans doute fallu que je leur dise que je ne me sens pas bien ici, que je préférais notre vie d'avant, à Toulouse ; et je sais que cela leur ferait de la peine de l'entendre.

Il n'y a qu'à toi, mon cher correspondant, que je confie ces choses, parce que j'ai l'impression que tu peux les comprendre et même me donner ton avis.

Après Noël, nous sommes allés passer quelques jours chez ma tante, à Toulouse. Cela m'a fait beaucoup de bien de retrouver cette ville, ainsi que mes cousines. J'aurais bien aimé revoir mes amies d'école de l'année dernière mais la plupart étaient parties au ski ou ailleurs.

Je suis allée au cinéma, au musée, et même au théâtre. Tu ne devineras jamais ce que j'ai vu : *Roméo et Juliette* ! J'ai beaucoup aimé cette pièce, même si je trouve la fin trop triste. Et j'ai pensé à toi : est-ce que tu joues le rôle de Roméo ? Cela doit être difficile…

Nous sommes revenus chez nous le 30 décembre. Mes parents devaient préparer le réveillon du Nouvel An au restaurant. Dès qu'ils ont repris le travail, j'ai remarqué qu'ils redevenaient irritables, comme le soir de Noël, même s'ils ne se sont pas disputés devant moi.

Le soir du 31, je me suis retrouvée une fois de plus seule à la maison. J'ai regardé deux films (Oui, au fait, ça y est, on a la télé ! La fête !). À minuit, mes parents m'ont appelée ; nous nous sommes souhaité la bonne année au téléphone. Ensuite, je suis allée me coucher.

Quels vœux as-tu faits pour la nouvelle année ? Moi, j'ai souhaité ne plus entendre mes parents se disputer.

Quand je suis retournée au collège, j'ai eu l'impression de me retrouver trois mois en arrière, comme le jour de la rentrée. Je n'ai toujours aucun ami ici ; il n'y a que Sébastien, le garçon qui habite près de chez moi, qui m'a demandé comment j'allais. J'ai énormément de travail en retard… Et dire que je t'écris au lieu de le rattraper ! Mais ce n'est pas grave : je peux toujours dire que je travaille mon anglais : −)

J'ai une nouvelle liste à te proposer : celle des choses qui ne devraient pas exister. Bien sûr, en tête, je mettrais les maladies et les parents qui se disputent, mais les maths et la physique viendraient juste après. Et toi, mon cher *pen-friend*, qu'est-ce que tu y mettrais ? De quoi aimerais-tu débarrasser le monde ?

Il faut que je te laisse, Mark, et que je retourne aux maths. Écris-moi vite, j'adore lire tes mails.

À bientôt.

Juliette

From: markhemp@netmail.co.uk
To: juliette@homenet.fr
Object: Answering you
Date: Jan 7, 10:07

Dearest Ju,

I understand how you feel about your parents arguing. But they're trying to deal with their problems: don't you think it means they still love each other?

I know what you mean when you say you can't talk to them about your feelings. I can't even mention the divorce to my mother. I'm so afraid to hurt her or make her feel sad or angry about it.

I've been trying to help her with the housework lately, so she can rest and relax when she's home. But she doesn't seem to appreciate, if she even notices it. I think her job and life in London put her under a lot of strain*. All I can do is hope it'll get better.

I know this isn't really helping. I can't think of any advice for you… What a lousy friend I am, I can't even think of anything funny to cheer you up!

I can only remember what my sister, the school counsellor, said to me on the evening when she tried to have a talk: that it's natural to feel bad about your parents getting divorced or not getting along, but there's absolutely nothing you can do about it.

Your parents, dear Juliette, are probably just exhausted with their work, and everything will get better soon. There were so many questions in your last mail, I had to note them down to remember to answer them.

So, first: I think your new list, the "things that shouldn't exist", should not exist itself. If you had asked me last year what would come first on the list, I would've answered "French" without hesitation. I really hated the subject before, but now, with Ms Da Silva and this pen-pal thing, I am starting to enjoy it. I even had a good mark on my last French test!

It's amazing how things change. Maybe in the end you'll actually enjoy maths. So let's forget about that list…

You asked me about my wishes for the new year. Actually, I have plenty: to make some new friends, for my ankle to heal so that I can do sport again… What else? Well, I guess I'd like to see my father more. He says he's going to rent a flat in London soon, but first he has to go abroad for work, so I won't be seeing him for a few months.

It's alright, though. He used to travel a lot before my parents got divorced, so I'm used to it. Besides, he always comes back with lots of gifts and stories about the places he visited.

You ask me which part* I'm playing in *Romeo and Juliet*. Well, first of all, we won't be performing the whole play, but just some excerpts*. Then, I'm not quite good enough (nor good-looking enough, by the way!) to play Romeo. I'll be Friar Lawrence, in the last scene of the play.

But you know what? Ms Da Silva, our French teacher, told us today that the exchange is really going to happen: we're supposed to go to France at the end of April, and you're supposed to come to England in early June. The School's annual party takes place on June 3rd – so you'll see me on stage*!

In your first letter, you said you didn't really feel like visiting England. I hope that has changed! There are great things to see here (actually, that's the theme Ms Da Silva wants us to write about next time, how convenient!). You'll definitely want to see Buckingham Palace, the Tower of London, Hyde Park and Madame Tussaud's. For myself, I like some of the museums, like the Natural History Museum and the Science Museum, and I love walking along the banks of the Thames in front of Westminster Abbey. Most of all, I love the London Eye, a huge wheel on the river bank. From the top, you can see practically all of London… if you're not afraid of the heights that is!

I think it would be great to show you my favourite parts of London, to walk around to shops and parks… But I suppose your school is going to keep you pretty busy and you'll probably stay at some girl's place, so we won't have that much time together.

Anyway, I'll ask some of my classmates what they plan to do with their pen-pals when you're all here. I'm sure we'll have a great time – if you come of course!

Hey, I don't even know what you look like! (And yes, that is a subtle way of asking for your photograph.)

Love,

Mark

De : juliette.crosne@college_prevert.fr
À: mark.hempton@ashclose_school.gov.uk
Objet : Pour Mark Hempton
Date: 17 janv., 12 h 03

Dear Mark,

With M. Servier, our English teacher, we discover the schedule* of your tour in France. Our region is very rich in landscapes historic sites.

The first day, you'll discover the medieval city of Carcassonne, where certain parts of the movie *Robin Hood* with Kevin Costner has been shot. From there, you'll come to our town in bus through the Lauragais plaine, where you'll visit a part of the Canal du Midi which links Atlantic to Mediterrannée. We'll welcome you in the college, and in the families for the first night.

The next day, you'll go to the Tarn, in the east of our région, to visit Albi and Cordes-sur-Ciel, a very beautiful medieval village. Then you'll go to Carmaux, in an ancient open sky mining transformed into an attraction park, where you'll pass the afternoon and the night.

On Wednesday, you'll keep on rolling to another department, Aveyron. You'll visit the Monts de l'Aubrac, where the famous Laguiole knife is made. Then you'll go south to the Gorges du Tarn, where you'll sleep.

On Thursday, you'll be back at the college and take classes with us. The next day, you'll visit Toulouse. Our English teacher don't know yet if we can go with you. On Saturday morning, you'll take the plane to go back home.

I must let you, because class is dismissed.

Juliette Crosne, 4e1

De : juliette@homenet.fr
À : markhemp@netmail.co.uk
Date : 17 janv., 23:07
Objet : Un peu plus que ce matin…

Très cher Mark,

Désolée pour la lettre de ce matin. C'était notre travail en cours d'anglais et le prof n'arrêtait pas de passer derrière nous pour vérifier ce que nous écrivions. Tu as dû trouver que je parlais comme un guide touristique… Et bla bla le joli village, et bla bla le département… C'est vraiment nul.

Tu as vu le programme : nous ne nous verrons pas beaucoup, à peine trois soirs. Sébastien, mon voisin, a proposé de t'héberger chez lui, avec son correspondant, mais j'ai fait remarquer qu'il y avait une chambre libre chez mes parents et que j'avais envie de te recevoir moi-même. Tout le monde m'a regardée, et je suis devenue toute rouge. Mais ça m'est complètement égal.

Je me demande tout de même comment ce sera de nous rencontrer en vrai. Avec les lettres que nous avons échangées, j'ai l'impression de bien te connaître, comme un ami, mais j'ai peur que nous n'arrivions pas à nous parler.

Pour me préparer, je regarde les films américains et anglais en VO sous-titrée ; mes parents n'aiment pas trop ça, mais je leur dis que c'est pour le collège. De toute façon, je suis presque toujours seule pour regarder les DVD. Du coup, mes notes en anglais ont un peu progressé. Je trouve même souvent les leçons ennuyeuses, puisque, à force de chercher dans le dictionnaire, je connais des tas de mots et d'expressions que les autres ne comprennent pas…

Bref, j'espère que cela suffira pour que nous nous comprenions. J'ai très envie de parler avec toi. Ce que tu m'as dit sur le divorce de tes parents et sur la façon dont tu te sentais maintenant, m'a beaucoup touchée. Je crois que je sais exactement ce que tu ressens.

C'est tout de même étrange d'avoir autant de points communs alors que nous ne nous sommes jamais vus. Ici, au collège, je n'ai toujours pas de vrais amis. Les filles passent leur temps à parler de télé et de vêtements ; quant aux garçons, ce n'est même pas la peine de discuter avec eux. Si tu savais comme ils sont… je ne trouve pas de mots pour ça, en tout cas pas de mots que tu pourrais chercher dans ton dictionnaire ! Je me sens seule. Sauf quand je reçois tes lettres.

Puisque tu insistes, je t'envoie une photo. Elle date de l'année dernière, et je pense que j'ai un peu changé depuis, mais je l'aime beaucoup car elle a été prise à Toulouse, au bord de la Garonne, dans un très bel endroit qu'on appelle la Prairie des Philtres. Avec mes amies, nous y allions souvent en sortant du collège. Il y a beaucoup de gens qui viennent s'asseoir pour prendre le soleil, jouer ou faire de la musique. J'espère que nous ferons la visite de Toulouse avec vous. Comme ça, je pourrai te montrer tous les endroits que j'aime, et en particulier celui-ci…

Dans trois mois, jour pour jour, nous nous rencontrerons.

Je t'embrasse.

Juliette

P.S. Il y a un passage de ton dernier mail que je n'ai pas bien compris : est-ce que tu ne te trouves pas assez beau pour jouer Roméo ? Cela me paraît bizarre car, sur ta photo, même si on ne voit pas tes yeux, tu as l'air plutôt mignon (malgré ton maillot de foot !)…

De : juliette@homenet.fr
À : markhemp@netmail.co.uk
Date : 14 fév., 21:27
Objet : Que se passe-t-il ?

Cher Mark,

Au collège, nous avons reçu l'exposé sur Londres et l'Angleterre que vous avez préparé pour nous. J'ai réussi à te repérer sur la photo de classe. Tu es mieux coiffé que sur celle que tu m'avais envoyée.

Ici, il fait encore froid et il pleut souvent. Mes parents se disputent moins qu'avant. Les cours m'ennuient un peu. Je me sens seule.

Je relis ces quelques lignes, et je les trouve stupides. Je *me* trouve stupide. Voilà déjà plusieurs jours que je commence des lettres et que je les efface avant d'avoir fini. Je me dis qu'il vaut mieux attendre. Que, de toute façon, tu as sans doute mieux à faire que m'écrire.

Mais Mark, où es-tu ? Depuis mon dernier mail, je n'ai aucune nouvelle de toi. Est-ce que j'ai dit quelque chose de mal ? Est-ce que je t'ennuie avec mes histoires ? Est-ce que tu penses toujours venir en France ? Peut-être que ça ne te plaît pas de passer du temps dans ma famille. Si c'est le cas, je peux toujours demander à Sébastien de te prendre chez lui.

Tu sais, les autres élèves de ma classe sont vraiment pénibles : ils se moquent de moi parce j'ai insisté pour que tu dormes chez mes parents. Au début, je n'ai pas réagi. Je pensais qu'ils finiraient par s'arrêter, mais je m'étais trompée. À force, je me suis mise en colère.

Ce matin, j'ai eu un problème avec un garçon de ma classe, David : il me tournait autour en disant n'importe quoi et en se moquant de moi et de toi. Il m'a même bousculée.

Je ne sais pas ce qui s'est passé. J'ai simplement voulu le repousser, mais il s'est pris les pieds dans un cartable qui traînait par terre ; il est tombé en arrière et il s'est cogné contre un mur, si fort qu'on a dû l'emmener à l'infirmerie.

Depuis, pratiquement plus personne dans la classe ne m'adresse la parole. Je trouve ça injuste, mais après tout, quelle importance ? Ils ne m'intéressent pas. Et en plus, je vais sans doute être punie.

Samedi dernier, je suis allée à Toulouse voir Cécile, qui était ma meilleure amie l'année dernière. Je me faisais une joie de la retrouver et de passer l'après-midi avec elle. Mais, arrivée là-bas, j'ai été très surprise : elle a beaucoup changé. Elle a passé son temps à me parler de vêtements et de garçons. Au lieu d'aller marcher sur les bords de la Garonne, elle préférait faire les boutiques.

Ce n'était pas du tout ce que j'avais imaginé. Je n'ai pas retrouvé ce qui nous unissait, qui faisait que nous étions tellement proches. Sur le moment, j'ai pensé que c'était normal pour des retrouvailles*. Mais en rentrant chez moi, dans les jours qui ont suivi, j'ai fini par comprendre que j'ai vraiment perdu tous mes amis.

J'ai failli t'écrire, Mark, parce que j'avais besoin de tes mots et de ta voix. Mais cela fait des semaines que j'attends de tes nouvelles, et que tu ne réponds pas. Peut-être après tout que je me suis trompée, que toi non plus tu n'es pas un ami. C'est certainement de ma faute : je crois que je n'intéresse personne.

Le soir, quand je rentre chez moi, je vais promener mon chien Félix. C'est un des seuls moments de la journée où je me sens vraiment bien.

Voilà, je crois que je vais m'arrêter ici. Je ne relis pas cette lettre, car je sais que j'aurais envie de l'effacer au lieu de te l'envoyer.

J'aimerais avoir de tes nouvelles ; mais après tout, si tu n'as pas le temps ou si je t'ennuie, ce n'est pas bien grave.

Juliette

From: markhemp@netmail.co.uk
To: juliette@homenet.fr
Object: Answering you
Date: 23 Feb, 13:43

Dear Ju,

I'm really sorry it has taken me so long to answer you. Lots of stuff has happened since I last wrote to you. I just couldn't find time to send an e-mail.

First, about that guy you knocked off: maybe you feel guilty, but… good going, girl! Don't let anyone bother you. I know boys can be pretty stupid and I think your schoolmate just got what he deserved. I hope the punishment you got wasn't too bad. But if my coming to your place is a problem, I can go to your neighbour's as well. I don't want to make trouble for you.

Let me tell you everything that has happened to me since January.

I think it all started when the doctor told me I could do sport again; I signed up for the school football team, and it turned out that, after all this time, I still play quite well. I scored three goals in the first two matches. Plus, I became friends with some guys in the team, especially with Andy. At first, we almost fought during a practice session, when he fouled* me but, after the game was over, he came over and apologized. He turns out to be a nice, funny guy who has a lot of friends and plays the drums. We talked about getting a band together with a couple of his mates. Up to now, we haven't had a chance to rehearse* properly, but we've jammed* once or twice at Andy's house, and it was quite fun. It reminded me of last year with my friend Alan in Bakewell.

Plus, Andy introduced me to his friends at school and outside and I've been to a few really great parties. I'm getting to know most of the interesting people at Ash Close and even in East Finchley as well. It's really nice to have friends again.

My father will be back in two weeks; last time he called, he said he was going to rent a large flat in Camden – it's a popular, trendy neighbourhood in London, with a famous market where you can find amazing things. He even said I could have band rehearsals and parties there when he's around: how great is that?

My mother has found a better position and, even if she's coming back quite late every day, she seems a lot happier now. I even think she's met someone, although she hasn't said anything. I feel kind of strange about it. Even if it hurts sometimes to think that she may be with someone besides my father, she's obviously happier and more relaxed now – and that's what really matters, right?

Another funny coincidence: the very day I read the mail in which you said that I could play Romeo, the drama teacher asked me to switch roles with one of my classmates and to be Romeo in a well-known scene with Juliet (they talk as she is on her balcony!). It's pretty exciting but it's a challenge too. In a way, your letter gave me the strength to say yes. Luckily, the girl who plays Juliette is Prisca, a really nice student from Year 11. She acts quite well and she'll help me to learn my lines*. She's really into theatre and she seems to know everything about it. I'm very enthusiastic about working with her. Maybe you'll meet her when you come to England. I'm sure you'd like her a lot.

I have to go now. I'm going to Prisca's for rehearsal.

Once again, I apologize for the delay in answering you. You can see everything's changing for me now faster than I expected! Maybe that can comfort you when you feel sad or alone. Being in a team and clubs has been good for me. Maybe you should join something too?

Be well.

Mark

De : juliette@homenet.fr
À : markhemp@netmail.co.uk
Date : 28 fév., 22:01
Objet : Merci

Merci pour tes conseils.

C'est vrai, personne ne me l'avait jamais dit : je me sens triste parce que je ne joue pas au foot et que je ne passe pas mon temps à traîner et à faire des fêtes. Incroyable comme ça me fait du bien d'entendre ça, ou de savoir que tu as marqué trois buts : c'est passionnant. Vraiment…

Ta nouvelle vie a l'air fascinante et je comprends que tu préfères répéter* avec une jolie fille que perdre ton temps à écrire à une Française que tu connais à peine.

À ce propos, et puisque tu insistes tellement, je vais demander à mon voisin Sébastien de t'héberger chez lui pendant votre séjour. Après tout, tu seras sans doute mieux là-bas et, au moins, mes soi-disant « camarades de classe » me laisseront un peu tranquille. Je regrette même d'avoir insisté pour que tu viennes chez moi, cela m'a attiré des ennuis qui n'en valaient vraiment pas la peine.

Hier, je suis allée voir le prof d'anglais et je lui ai dit que je n'avais plus très envie d'aller en Angleterre. Malheureusement, il prétend que c'est trop tard pour annuler. Tout ce qu'il a trouvé à me répondre, c'est que le collège pourrait aider mes parents s'ils n'avaient pas assez d'argent pour payer le voyage.

Tant pis. J'espère simplement que je serai hébergée chez quelqu'un de sympathique.

Au revoir.

Juliette

From: markhemp@netmail.co.uk
To: juliette@homenet.fr
Object: re: merci
Date: March 1, 12:59

Dear Juliette,

I've read your letter over and over several times; I think I understand the words, but there is something about it that I don't get. Am I wrong, or do you sound really bitter and nasty?

I never said that I wanted to go to your neighbour's place. And I never said you should do sport or go to parties. I suggested, as a friend, that seeing new people and trying to get interested in new things could make you feel better. I wrote that because it's what happened to me. The fact is that I am happy, a lot happier than before, and I felt like sharing that with you.

And suddenly you grow really cold and even angry with me. I must say I don't understand why. Is it something about Prisca or what? Not that it's any of your business, but I will say that I see her as a friend, and not as a *jolie fille*. But if you'd rather stay on your own and be angry at anyone who tries to be your friend, it's up to you.

Bye,

Mark

De : juliette@homenet.fr
À : markhemp@netmail.co.uk
Date : 3 mars, 21:32
Objet : re : re : Merci

Tu me demandes si je suis « amère » ? Non. Juste déçue. D'ailleurs, je ne sais même pas pourquoi. Je pensais que tu n'étais pas un garçon comme les autres, et que nous partagions certaines choses. Je me suis trompée, voilà tout. Quelle importance ?

Tout à l'heure, en rentrant du collège, je suis sortie promener mon chien. Sur le chemin, j'ai rencontré Sébastien. Je lui ai demandé de te prendre chez lui. Malheureusement, c'est impossible : il reçoit déjà deux correspondants.

Nous avons parlé longtemps. Je me suis rendu compte qu'il est plus sympathique et intelligent que je ne croyais. Lui non plus ne se sent pas à l'aise dans notre classe ; il a de très bonnes notes dans toutes les matières, et les autres le rejettent à cause de ça.

Nous sommes allés jusque chez lui. Il m'a présenté ses parents qui sont tous les deux artistes peintres. Leur maison est très agréable. Sébastien m'a montré ses livres préférés (il aime beaucoup la lecture) et ses dessins : il est vraiment très doué. Il a fait un tableau qui représente la maison où j'habite, qu'il peut voir depuis chez lui. Les détails sont très fins – on aperçoit même une petite lumière à la fenêtre de ma chambre. Il m'a dit qu'il l'avait peint juste avant Noël, au moment où j'étais malade. Il se demandait tous les jours si je ne m'ennuyais pas trop. Mais comme il est très timide, il lui a fallu beaucoup de temps pour se décider à venir me voir.

Finalement, peut-être que tu as raison : la vie est plus agréable quand on a des amis. J'ai l'impression que Sébastien pourrait devenir le mien.

Il y a beaucoup de travail au collège en ce moment, et je pense que je n'aurai pas le temps de t'écrire en dehors des heures d'anglais. Je continue à chercher une autre famille d'accueil pour toi.

Au revoir,

Juliette

De : juliette@homenet.fr
À : markhemp@netmail.co.uk
Date : 10 avril, 23:21
Objet : Des nouvelles

Cher Mark,

Voilà plus d'un mois que je ne t'ai pas écrit, et je m'en veux. Bien sûr, j'étais en colère contre toi. Mais cela m'a passé très vite.

J'ai relu cette lettre où tu avais l'air tellement heureux ; j'ai fini par comprendre que ce qui m'agaçait, c'est tout simplement que je t'enviais. Je te demande pardon, car j'ai été bête et injuste envers toi.

Depuis ma dernière lettre, il s'est passé beaucoup de choses et je n'ai vraiment pas eu le temps de t'écrire comme j'aurais voulu. J'espère que tu n'es pas fâché, car nous devons nous rencontrer dans moins de quinze jours maintenant…

Je n'ai trouvé personne pour t'héberger, ou plus exactement, je n'ai demandé à personne. En effet, les autres garçons de la classe ne sont vraiment pas intéressants, et je m'en serais voulu de te laisser avec l'un d'eux.

Au collège, les choses s'améliorent peu à peu, en particulier depuis que Sébastien m'a présenté ses camarades des autres classes. J'ai renoncé à me faire des amis à l'intérieur de la mienne, car j'ai fini par me faire à cette idée : je suis tout simplement tombée dans une mauvaise classe. L'ambiance est désagréable même entre les élèves, et les professeurs ne nous aiment pas. M. Servier, notre prof d'anglais, a déjà menacé plusieurs fois de nous supprimer le voyage en Angleterre, mais rien n'y fait vraiment. Quelques élèves posent toujours des problèmes. La semaine dernière, David Azémar, le garçon que j'avais bousculé dans le couloir, a même été renvoyé du collège. J'espère que cela changera l'état d'esprit de la classe, mais cela n'est finalement plus très important pour moi. Grâce aux amis que m'a présentés Sébastien, je vais maintenant au collège avec plaisir.

Je sais que tu vas sourire en lisant ces mots : comment peut-on aller à l'école avec plaisir ? Et bien, c'est l'autre nouvelle dont je voulais te parler : il y a deux semaines, le premier avril (et non, ce n'était pas une plaisanterie !), mes parents ont eu un accident de voiture. Mon père s'est fracturé le poignet et ma mère a eu deux côtes cassées. La voiture, elle, est bonne pour la casse*.

Ce n'était rien de grave, évidemment. Le problème, c'est que mes parents ne pouvaient plus travailler et qu'ils ont dû fermer le restaurant pendant quinze jours.

Tu te souviens de cette liste que nous avions faite sur les choses qu'on espère et qui, une fois réalisées, nous déçoivent ? C'est exactement ce qui s'est passé. Moi qui rêvais de passer des vraies soirées en famille, j'ai été servie… Parce que mes parents ne pouvaient pas faire grand-chose, j'ai dû les aider pour le ménage, la cuisine et tout le reste.

Ç'aurait pu être agréable, mais mes parents n'ont pas réussi à se reposer un instant : ils ont passé leur temps à se faire du souci à cause des courses, du restaurant, de la voiture à remplacer… Un soir, je les ai entendus dire qu'il nous faudrait peut-être revendre le restaurant et la maison et retourner à Toulouse (ce serait dommage : je crois que je me suis habituée à la campagne, à mes promenades avec mon chien, aux amis du collège…). Bref, vivre avec mes parents à la maison depuis deux semaines n'a pas été une partie de plaisir, loin de là. J'ai eu souvent envie de pleurer – mais je suis une grande fille, maintenant !

J'ai essayé d'en parler avec l'infirmière du collège, un jour que je séchais* le cours de gym. Elle m'a répondu qu'elle me trouvait presque trop mature, que ce n'était pas à moi de régler les problèmes de mes parents. Elle a même osé dire que ça s'arrangerait… Comme si elle en savait quelque chose ! Parfois, Mark, je pense que les adultes sont beaucoup moins intelligents qu'ils ne le croient. En tout cas, leurs prétendues réponses à nos problèmes sont complètement idiotes.

Pendant ces deux semaines, il y a quand même eu un moment très agréable : vendredi dernier, Sébastien et ses parents sont venus nous rendre visite. Ils nous ont apporté des légumes de leur jardin et des œufs de leurs poules. Au bout d'un moment, j'ai suggéré qu'ils restent dîner avec nous. Sébastien et moi nous sommes chargés de la cuisine. Nous avons mangé sur la terrasse pour la première fois. Le dîner a été très sympa – tout le monde parlait en même temps, racontait des histoires et des blagues. À la fin du repas, les parents de Sébastien ont chanté des chansons en occitan (c'est une langue qu'on parlait autrefois dans la région). La lune s'était levée, et on entendait les coassements des grenouilles dans la mare.

C'était vraiment un moment magique. J'ai vu que mes parents se regardaient en souriant et j'ai pensé que je les voyais sourire pour la première fois depuis des mois.

À ce moment-là, Mark, j'ai eu envie de t'écrire. J'ai eu envie que tu sois là.

Et puis j'ai senti que quelqu'un prenait ma main et la serrait dans la sienne. C'était Sébastien. Sur le moment, avec les chansons et les étoiles, cela m'a semblé parfaitement naturel. Quand je suis allée me coucher, j'étais vraiment bien. J'ai eu l'impression que tout allait s'arranger, que les choses étaient simples et qu'à partir de ce soir-là, mes parents et moi allions redevenir heureux.

Mais la première chose que j'ai entendue le lendemain en me réveillant, c'était mes parents qui se disputaient – je crois que c'était à cause de la voiture qu'ils doivent racheter… J'ai eu envie de pleurer. Le même jour, mon père s'est moqué de moi en appelant Sébastien « mon petit amoureux ». Sur le moment, cela m'a mise très en colère et je suis partie me promener. Pourtant, en y réfléchissant, je me suis demandé si mon père n'avait pas raison : peut-être bien que Sébastien est amoureux de moi… Mais pour moi, c'est juste le gentil voisin, le garçon qui m'apporte mes devoirs et qui m'aide à tenir le coup au collège. Je n'arrive pas à penser à lui autrement.

Aujourd'hui, en classe, il ne m'a pas adressé la parole. Ce soir, je suis allée promener Félix mais je ne l'ai pas croisé. J'ai failli aller chez lui, mais j'ai peur que mes parents ou les siens se moquent à nouveau de nous. De toute façon, je crois que je ne saurais pas quoi lui dire, ni comment lui parler de cette soirée et de ce qui s'est passé.

Mes parents ont rouvert le restaurant ce matin, et ce soir ils travaillent. Je dois t'avouer qu'après les deux semaines que nous venons de passer, c'est un vrai soulagement pour moi de me retrouver seule et j'en profite pour t'écrire cette longue lettre, mon ami anglais…

Dans moins de quinze jours maintenant, tu connaîtras le visage de mes parents, l'endroit où j'habite, mon chien, Sébastien, mon collège… C'est drôle, y penser me donne un pincement au cœur. Comment vas-tu te sentir ici ? Passerons-nous de belles soirées sous les étoiles ou devras-tu supporter les disputes et les inquiétudes de mes parents ?

Au début, ils avaient prévu de fermer le restaurant les soirs où tu serais à la maison, pour passer du temps avec toi. Mais avec l'accident et tous les jours de fermeture que cela a entraînés, il n'en est plus question. Nous nous retrouverons donc plus ou moins seuls. En fait, nous passerons beaucoup de temps dans la famille de Sébastien. J'espère que tu te plairas ici et que tu t'entendras bien avec tout le monde. Je suis sûre que tu aimeras la région.

Si tu peux excuser mon long silence, donne-moi vite de tes nouvelles : combien de buts as-tu marqués ? Comment marche ton groupe ? Et pour combien de filles joues-tu les Roméo ?

Réponds-moi vite mon ami.

Je t'embrasse.

Juliette

From: markhemp@netmail.co.uk
To: juliette@homenet.fr
Object: Coincidences
Date: April 12, 16:31

Dearest Ju,

Your letters always come at exactly the right moment – actually, in this case, at the wrong one… I know this may be a strange way to tell you I'm glad to hear from you again, but believe me, I really am.

So, as you said, last time I wrote to you, I was very pleased with myself, with all my activities and my new friends. Maybe I was being a bit obnoxious*, and that bugged* you.

That's all ancient history now. In fact, everything seems to change so quickly in my life that I don't really know who or what I can trust. Not myself, that's for sure. My feelings and thoughts and moods pass as fast as clouds in the spring sky – and I'm not writing any poetry here, I'm just telling you how I feel… I can't stay at peace for more than a few minutes. I'm totally confused with my life. Sometimes I get up in the morning and feel terrific, joyful and enthusiastic but, only a few hours later, I feel bad, fed up with everything and grumpy*, although things around me haven't changed a bit.

The only time I feel at peace is when I'm reading your letters. How strange… but the fact that we are going to meet soon makes me nervous too.

You must be tired of my whining*, dear Ju. So let me tell you everything that's happened since I last wrote to you.

First, the idea of forming a band with Andy and his friends was still there but somehow it seemed that we could never find the time or place to have a proper rehearsal. No matter how hard we tried, something would always go wrong. So, instead of playing some music, the four of us would always end up going out or to a party, where Andy, Mike and Stephen would do stupid things like get drunk. I have to admit I found it fun in the beginning, but it got boring fast.

One Saturday, the three of them invited me to go to Central London. We were supposed to meet near Charing Cross Station and go to some music megastore to look at guitars and CDs. First, I had to wait for about an hour before they showed up; I was quite angry but they only laughed – I think they were drunk or something. Finally, we got to the store. There I was, looking for guitar scores*, while the others were walking around. I wasn't paying any attention to them, when Andy suddenly came up and put something in my pocket: it was a CD. You may think I'm quite naive, but it took me a while to understand he was planning to steal the thing! So I told him it was totally stupid: not only because I'm not a thief, but also because there were CCTV cameras everywhere and security guards at the doors… I just put the thing back in its place and left the store and went home.

The next day, they told me Mike and Stephen got caught. It turned out that it wasn't the first time they got caught in that shop and they're in big trouble now.

Of course, I know I was right to act as I did; my mother said I could be proud of myself for having rejected those guys' bad influence. But the next few days at school, Andy was mad at me. He said they'd got caught because I was such a stupid and coward. He said they would bully* me after school. I thought about telling the headmaster but I was sure it would only make things worse. So I stopped going to football practice for a while and started going straight home after school.

Kind of pathetic, don't you think? I haven't felt that way since nursery school! I've lost my so-called friends and can't play music or football any longer. And there's more! Should I tell you about the theatre? You can't imagine how dumb I feel about it…

Last week, I went to Prisca's to work on the play with her. We rehearsed for an hour or so, then we had a cup of tea in her kitchen.

I already told you that I think she's nice and talented and she's quite cute, too. So I did something really silly. Guess what? I tried to kiss her! She stepped back and said nothing for a while. Then she told me she had some homework to do and asked me to leave. It was all so embarrassing… I felt totally stupid.

What next? I got home feeling like I'd made a complete fool of myself. The next day, I had to rehearse the same scene with her in front of the whole class… I couldn't remember my lines and I was so bad that the teacher looked worried about me. I think he's considering switching me back to Friar Lawrence's part…

But the stupidest thing is: I'm not even really attracted to her or anything. I only tried to kiss her because I thought she wanted me to! I obviously made a complete fool of myself, didn't I? Later I found out that Prisca has a boyfriend in Upper School (and he plays rugby…). So, all of it may even end in a fight with a big bully… Juliette, not only do I appear to be the silliest person in the world; but moreover, I can't see any way to put myself in a more ludicrous situation.

Look, when I'm in France, can you hide me for, say, a couple of years?

Girls and boys. Kisses. Love. Can you tell me what it's all about? To me, it feels like a joke or a stupid game: constantly asking someone, hey what do you think of me? Are you interested in me? Do you like what I am? It's mainly trying to make yourself look good for

people you don't even care about. That's completely silly. All those lies about feelings and love, what do they mean? And they just end in a break-up or a divorce, like my parents…

By the way, my father is putting off getting a flat in London again. He says he's got too much work and I've only seen him twice in the past three months. And whenever we do spend a weekend together, we don't find much to say or to do anyway. Even if I always think that it's going to be great, in the end, I'm relieved to go back to my mother's. But that doesn't last either. Lately, my mother has started getting all tense and sad again. She says her job is tiring, but I think she might have broken up with her latest boyfriend too. I don't know for sure – she doesn't talk about it. But once again, I think love is boring. I mean, you know *Romeo and Juliet:* all of the poetry and the nice words about love… and it ends with two young people dying. They could have been happy in about a million ways, but they chose to suffer and to hurt themselves in the name of that stupid idea!

I'm not even sure what I'm talking about. All I know is I'm feeling quite gloomy* at the moment. And your letters and the idea of meeting you soon, sweet friend, are the only thing that cheers me up and gives me some hope.

A tres bientot (can't do the accents – and wouldn't know where to put them anyway : –)

Mark

Saturday 4/29, 09:59
You have a new message
Message from
+33623502340

G honte, mais G promis,
alors je le fais.
Bon voyage. Biz.

De : juliette@homenet.fr
À : markhemp@netmail.co.uk
Date : 29 avril, 10:35
Objet : Ce soir-là
Document attaché : pourmark.doc

Mon très cher Mark,

Voilà le texte que j'avais promis de t'envoyer…

Je t'embrasse

Ju

pourmark.doc

Vendredi soir (28/04)…

Tu sais, Mark, c'est paradoxal : maintenant que nous nous connaissons, il y a des choses que je n'arrive plus à te dire. J'ai envie de les écrire, même si tu ne les liras jamais.

Il y a quelques années (qu'est-ce que je dis ? à peine quelques mois mais cela me paraît tellement loin maintenant :–), je tenais un journal intime[*] et puis j'ai grandi, ou, en tous cas, j'ai trouvé que c'était une activité un peu puérile et ridicule. J'ai arrêté d'écrire ce qui me passait par la tête soir après soir, mes petits bonheurs et mes questions.

Quand nous sommes devenus correspondants, j'ai eu l'impression de retrouver cette liberté, cette joie d'exprimer mes pensées et mes émotions ; c'était comme respirer de l'air pur après avoir passé trop de temps dans une pièce close. Mais cette fois, c'était autre chose qu'un journal intime, qu'un carnet de papier gris qui ne répond jamais. C'était encore mieux : le plaisir immense d'avoir quelqu'un à qui parler, quelqu'un qui vous comprend, qui vous conseille, qui vous donne son point de vue sur les grandes choses et les petites misères de la vie…

Voilà ce que tu étais, Mark, avant que je te rencontre : un confident, un ami de cœur et de plume… Cette expression est vraiment nulle, non ? En plus, elle n'est même pas exacte : pour toi, j'ai abandonné le stylo-plume au profit de l'ordinateur. À présent, j'en ai tellement pris l'habitude que même ces mots que je veux garder pour moi, je les tape* sur mon clavier*… en essayant de faire le moins de bruit possible avec les touches*, pour ne pas réveiller mes parents.

Il est très tard. Tout le monde dort – y compris toi, Mark, dans la petite chambre à côté. Mais moi, je n'arrive pas à fermer les yeux. Les mots se bousculent dans ma tête, tous ces mots que j'ai envie de te dire et qui s'évanouissent en ta présence. J'ai cherché le sommeil en me tournant et me retournant dans mon lit, puis j'ai fini par comprendre que je ne m'endormirais pas tant que je n'aurais pas sorti tout ça, écrit ce qui me passe par la tête, mis de l'ordre dans mes pensées.

Je me suis relevée, je suis descendue sans un bruit dans le salon, j'ai allumé l'ordinateur et je me suis mise à écrire. Voilà.

Mark. Mark Hempton. Mon ami Mark.

Voilà trois jours que nous nous connaissons. Trois jours que je sais à quoi tu ressembles, que je m'habitue à ta voix, à tes gestes, à la façon si craquante que tu as de passer la main dans tes cheveux…

Demain matin vers cinq heures – c'est-à-dire tout à l'heure –, mes parents t'accompagneront au collège. Je ne suis même pas certaine que je te verrai partir : si je m'endors trop tard, je serai sans doute trop fatiguée pour me lever…

Par la fenêtre de la petite chambre où tu dors, on peut voir, au bout de la vallée, la grande route qui va à Carcassonne. Si je suis réveillée, je me mettrai là, assise sur le lit en attendant de voir passer le bus qui vous emmène à l'aéroport. Il y a au moins trois kilomètres à vol d'oiseau et il est parfaitement impossible que tu me voies. Mais peut-être que si je fais un signe depuis la fenêtre, tu sentiras en passant ton cœur devenir plus léger…

Je rêve. Je rêve et je me sens complètement idiote d'écrire ça, seule dans le salon, en pyjama devant cet écran froid. Je me sens idiote de ne pas réussir à te parler quand nous sommes ensemble. Je me sens idiote d'avoir toujours envie de te prendre à part, de ne parler qu'avec toi, de m'éloigner des autres pour profiter complètement de ta présence. Je me sens idiote, parce que quand tu es près de moi, je suis à la fois si bien et si mal à l'aise…

Je t'ai reconnu tout de suite quand tu es descendu du bus, lundi dernier (j'ai du mal à croire que c'était il y a à peine quatre jours…). Je sais, j'avais ta photo depuis des mois ; mais c'était autre chose. C'était ton sourire. C'était la façon dont tu regardais autour de toi, comme si tu cherchais quelque chose ou quelqu'un. C'était ton sourire de petit garçon et tes yeux de grande personne. Mon cœur s'est mis à battre quand je me suis approchée de toi, que je t'ai serré la main en disant *Hello, I'm Juliette*, et que tu as répondu *Hi, Ju, glad to meet you.* J'ai adoré ta voix dès le début.

Nous sommes restés là sans rien trouver d'autre à nous dire. Je sais que j'étais toute rouge. Tous les autres élèves devaient nous regarder : mais tu sais quoi ? Ça m'était totalement égal.

Je me suis sentie presque soulagée* quand tu as rejoint le reste de ta classe pour visiter le collège. Puis, les parents de Sébastien sont venus nous chercher et nous avons passé la soirée avec eux. Tu vas te moquer de moi, mais j'étais presque jalouse, parce qu'ils parlent tous les deux très bien l'anglais et qu'ils n'ont pas arrêté de discuter avec toi et tes deux copains…

Quand ma mère est arrivée pour nous ramener chez nous, nous n'avons pas eu beaucoup plus de temps ensemble : tu étais debout depuis quatre heures du matin et tu étais épuisé. Le temps de te montrer la maison et ta chambre et il était temps d'aller se coucher.

Moi, cette nuit-là, je crois que je n'ai pas fermé l'œil… exactement comme ce soir.

Les jours suivants, j'étais hantée par l'impression que tu étais tout proche ; pourtant, tu n'étais pas là et, pire, je ne pouvais même pas t'écrire. C'est là que j'ai commencé à écrire mes pensées sur l'ordinateur.

Même si rien n'avait changé – ni la maison, ni le collège –, je me sentais complètement différente, à la fois pleine de joie et d'ennui. Les choses que je fais d'habitude (voir Sébastien, faire mes devoirs, promener le chien, regarder la télé, lire ou écouter de la musique…) me semblaient monotones, presque irréelles. Comme si j'attendais simplement que tu reviennes pour me sentir vraiment moi-même.

C'est étrange de dire ça, et pourtant je crois que c'est exactement ce que j'ai pensé pendant ces deux jours où vous étiez en excursion. Bref, je me suis ennuyée à mourir, jusqu'à ce que vous nous rejoigniez hier après-midi au collège.

Tu étais assis à côté de moi, à la table où d'habitude je suis toute seule en cours d'anglais, et j'essayais de ne pas te dévorer du regard… Tu sais que tu es vraiment joli garçon, mon cher *pen-friend* ? Et puis tu me fais rire. Ta façon de répondre au professeur, ton accent quand tu essaies de parler français… C'est vraiment *trop mignon*, comme disent les filles de ma classe.

Et hier soir, de nouveau, chez Sébastien, je n'ai pas pu parler avec toi. Alors, dans la nuit, je suis redescendue ici pour écrire des choses, mais j'ai tout effacé avant d'aller me coucher. Je crois qu'il était quatre ou cinq heures du matin quand je me suis endormie. C'est sans doute pour ça que, tout à l'heure, je me suis endormie dans le bus qui nous emmenait à Toulouse ! Quand je me suis réveillée, nous étions déjà en ville. J'ai suivi distraitement la visite en marchant un peu en arrière du groupe.

C'était vraiment bizarre de revoir tous ces endroits avec les autres. J'avais tout le temps envie de dire « j'allais au collège là » ou « avec mes copines, on achetait toujours à manger dans cette boulangerie » ou « une fois, on est resté pendant des heures appuyées sur ce mur-là… ». Et en même temps, je me sentais comme une étrangère. Comme si je retrouvais un endroit que je n'avais pas vu depuis des années, et qui n'était plus chez moi. J'ai pensé que c'était à cause du manque de sommeil. Et puis…

Et puis nous avons pique-niqué tous ensemble sur les berges. Et puis les professeurs nous ont donné rendez-vous pour la fin de l'après-midi sur le parking. Et puis…

Maintenant, Mark, je me demande si tu as senti les mêmes choses que moi ce vendredi après-midi (je regarde l'heure sur l'ordi, il est déjà une heure du matin : c'était il y a tout juste onze heures…).

Je ne sais même pas comment nous nous sommes retrouvés à l'écart du groupe. Au début de la semaine, je ne rêvais que d'un moment comme ça, mais ce jour-là, je crois que j'avais cessé d'attendre, que je n'y pensais même plus. Et soudain, il n'y avait plus que toi et moi, sans personne, à nous promener sur le pont Saint-Pierre et dans le quartier où j'habitais avant.

Nous avons à peine parlé. Nous marchions simplement côte à côte, à notre rythme, sans nous occuper de rien. À ce moment-là, je me suis sentie étrange, comme avant, il y a longtemps, simplement heureuse, la tête vide, à respirer l'air frais au-dessus de la Garonne… J'aurais voulu que ça dure toujours.

C'est sans doute à cause de ça que nous avons eu vingt minutes de retard au rendez-vous du bus !

J'ai adoré ta façon de réagir ou plutôt de ne pas réagir, de rester imperturbable, quand les autres nous ont sifflé et se sont moqués de nous. À te voir, on aurait dit qu'ils n'existaient même pas… Je crois que si tu n'avais pas été là, je serais tout simplement morte de honte.

Tout ce temps en ville, comme quand nous avons promené le chien en fin de journée, j'ai eu envie de te prendre la main. Juste comme une amie. Mais je me souviens aussi de ta dernière lettre, de ce que tu penses des filles, de l'amour, de tout ça… et je me suis dit que ça te gênerait sans doute. Ou c'est juste que j'ai manqué de courage…

Une heure vingt. Je n'ai toujours pas sommeil, et je crois que

Samedi matin :

Voilà, ça s'arrête là. Maintenant, tu sais ce que j'étais en train d'écrire au moment où tu es descendu au salon.

Je n'ai pas osé le relire, et ça me très fait bizarre de t'envoyer ça maintenant. Mais j'ai promis de le faire, alors voilà.

Tout à l'heure, ma mère m'a dit qu'elle avait entendu du bruit dans ma chambre, cette nuit. Je lui ai répondu qu'elle avait dû se tromper.

Baisers.

Juliette

From: markhemp@netmail.co.uk
To: juliette@homenet.fr
Object: Back home
Date: April 30, 10:11

Sweet Juliet,

I just finished reading your letter. I have to admit I really was wondering what you were writing when I went downstairs and found you there, on the computer in your pyjamas in the dark…

I remember how, after that, we crept into your room. It was so nice being with you; everything was so simple, natural and quiet. I'd been wondering for days how to talk to you, how to behave with you… I felt we were so close and yet we couldn't find any way of communicating, mostly, of course, because of the language; but there seemed to be many other things involved too.

Yes, dearest Ju, I felt like taking your hand on the last day in Toulouse, and I couldn't find the courage to do it either. And since I got home and read your text, I deeply regret I didn't.

When I was in France, everything was a bit confused in my mind. I thought it was because of my being in a foreign place but now that I'm back, things seem even more confusing.

So I'll do what you did: I'll write them down. I think I'll try to make a list, to sort it all out. After all, that's how we started this whole correspondence, isn't it?

OK, here is my list:

HEAD: Things keep on turning round and round up there. Words. Questions. Sentences. Memories. Pictures, mostly of you. You in Toulouse, near the Garonne River. You, playing with Felix the dog (by the way, I still find him a bit stupid… no, just kidding). You in your pyjamas, in front of the computer writing some mysterious things in the dark. You showing me your room, and your favourite books and stuff. You, sitting on your bed with the *eidredon* (is that the word?) on your lap. You giggling and laughing silently because we were afraid your parents might hear us. All the things we said that night, with our bad accents and funny misunderstandings*. And the moment that we saw through the windows that the sun was rising, and how I had to tiptoe back to my room before your parents woke up… I don't think they would have believed that all we did was talk! But truly, nothing else happened – except that I had the most amazing night of my life…

So, that's what's going around and around in my head now. Let's skip to some other points of my list.

EYES: I'm afraid there's something wrong with my eyes now. It's as if they can't see the world as it is. They seem to project images wherever I am. In a park, I don't see the lawns or the trees or the children playing, I see Juliette walking on the lawn, Juliette leaning on a tree… Juliette in London, Juliette along the river banks, Juliette in Hampstead Heath, Juliette at Ash Close School, Juliette at my mother's… Every girl I meet seems to look like you – and when they obviously

59

don't, I just think they're really ugly. Please, what's happening to me?

MOUTH: Along with my mind and eyes, it keeps making up sentences ending with "don't you think, Ju?", or even to speak French. It's just that I feel like talking to you, communicating with you all the time… C'est vraiment etrange, n'est-il pas?

HEART: I'm afraid it isn't working properly either. It's prone to accelerating and becoming rather jittery* whenever I think of seeing you again, or holding your hand, or hearing your voice…

COMPUTER AND MOBILE PHONE (I know they don't belong on this list, but I already told you my mind is weird lately): They seem to be able to make me skittish and jumpy when they ring for messages and when there aren't any, everything becomes kind of sad and I think PCs and phones are really horrible machines. I just hate them, until the next time they bring a message from you…

LEGS: Can you tell me why, once or twice a day, I feel like running all the way through England and the Channel to your place, just to see you smile once more?

OK, enough with this list. What do you think? There is definitely something wrong with me. I'm trying to look at it all with my cold, logical, scientific mind, like a computer analyst using troubleshooting* software. But I think I know what it is, old Mr Shakespeare has helped me a bit.

Dearest Ju, I have rather bad news. I'm afraid I have fallen in love with you. And yes, that is the stupidest thing that could have happened…

I don't know what else to say. And I have to leave you now: my sister Eileen and her husband have come to visit. I have to leave them my bedroom while they're staying here, and they want to go to bed now.

Maybe I'll try to have a talk with Eileen about my feelings: she left home when she was only 19 because she was in love with Bernard. Maybe she can help me. But then, I'm afraid she might tease me, so maybe I'll just keep quiet.

Your silly English friend,

Mark

From: markhemp@netmail.co.uk
To: juliette@homenet.fr
Object: Back home
Date: May 2nd, 10:11

Dearest Ju,

What's happening? Almost a week and no answer from you. Did I say something that made you angry? Maybe I shouldn't have written about being in love with you. Once again, I'm so clumsy*, it's just like with Prisca in her kitchen: I really don't know how to behave with girls…

I want you to know that, should your feelings be different from mine, I'd understand perfectly. I only hope we can still be friends.

Please answer me.

Yours always,

Mark

Vendredi 5/05, 16:53
Vous avez un nouveau
message Message du
+44 7803165770

Did U get my emails? R U
OK? Please answer

Friday 05/05, 09:12
You have a new message
Message from
+33623502340

Peux pas t'écrire
maintenant. Je pense
à toi.

De : juliette.crosne@college_prevert.fr
À : markhemp@netmail.co.uk
Date : 9 mai, 14:43
Objet : Je suis là

Mark, Mark, Mark…

Je suis vraiment désolée de ne pas t'avoir répondu plus tôt. Trop de choses sont arrivées cette semaine, et beaucoup de choses désagréables…

Avant tout, comment peux-tu croire que je ne partage pas tes sentiments ? La liste que tu as faite me correspond parfaitement. Moi aussi, je suis amoureuse de toi, même si je n'ai pas eu besoin d'une liste pour le comprendre.

Oui, je suis amoureuse. Ou plutôt « je crois l'être » : c'est ce que dit ma mère. Et voilà bien mon problème. Lundi dernier, elle s'est levée au milieu de la nuit et elle m'a trouvée devant l'ordinateur, en train de lire ta lettre (peut-être pour la millième fois !), en essayant d'y répondre. Bien sûr, j'avais les larmes aux yeux et un sourire idiot aux lèvres. Quand elle m'a vu comme ça, elle a voulu savoir ce qui se passait. J'aurais aimé ne rien lui dire, mais elle a tellement insisté que j'ai fini par avouer ce qui s'était passé entre toi et moi. Et que nous étions amoureux. Elle n'a pratiquement rien dit et m'a envoyée au lit. Je lui ai fait jurer de ne rien dire à mon père. Évidemment, elle s'est empressée de tout lui raconter le lendemain.

Il était furieux. Sa première réaction a été de m'interdire de venir chez toi quand je serai en Angleterre. Tu imagines ? C'est comme si… c'est stupide. Je suis très en colère contre lui. Je le déteste. J'ai l'impression qu'il salit ce qu'il y a entre nous. Il ne comprend rien. Je me suis enfermée dans ma chambre pour la soirée, et je n'ai pas pu t'écrire.

Plus tard ce soir-là, ma mère est venue me parler. Elle ne croit pas que nous puissions être amoureux, « à notre âge »… Elle a essayé de m'expliquer les choses calmement, de me parler des filles et des garçons, de ce qui « risquait d'arriver »… En fait, elle est exactement comme mon père : elle se fiche éperdument de mes sentiments. Tout ce qui l'intéresse, c'est que je ne « dorme pas toute seule avec un garçon ». Tu te rends compte ? Elle n'est même pas capable de dire simplement qu'elle a peur que nous couchions ensemble. On se croirait vraiment au Moyen Âge… Depuis le début, j'avais peur de la réaction de mes parents. Ils m'ont terriblement déçue.

Alors, je leur ai menti. Un peu. J'ai dit que tu avais une grande sœur (c'est vrai), qu'elle habitait avec vous à Londres (c'était vrai… la semaine dernière), et que je dormirais dans sa chambre (ça, je ne sais pas si c'est vrai… finalement, ce n'est presque pas un mensonge). Finalement, mes parents se sont un peu calmés ; mais ils ont l'intention de demander un rendez-vous au prof d'anglais avant notre départ.

J'ai tellement honte. Honte pour eux. J'ai l'impression qu'ils m'en veulent d'être amoureuse, parce que cela fait bien longtemps qu'ils ne le sont plus.

J'écris des bêtises, sans doute. Mais tu aurais dû voir mon père cette semaine… Entre ça, les problèmes d'assurance (qui ne veut pas rembourser la voiture) et le restaurant qui ne marche pas bien du tout, il est furieux en permanence. Hier soir, maman et lui se sont disputés très violemment. J'ai entendu une porte claquer et la voiture qui démarrait. Je ne sais pas ce qui s'est passé, mais j'ai de plus en plus l'impression que mes parents vont se séparer. Je me demande comment ils osent me donner des leçons, alors qu'ils sont incapables de régler leurs propres problèmes.

Tu vois que ma semaine a été plutôt difficile, mon cher *pen-friend* ; mais ce n'est pas tout.

Je t'avais dit que Sébastien avait changé d'attitude depuis cette fameuse soirée où il avait pris ma main ; et bien, c'est encore pire depuis que vous êtes venus en France et que nous avons mangé chez lui. Il ne me parle plus du tout. Je crois même qu'il a fait courir des bruits* sur toi et moi. Je ne sais pas ce qui lui a pris, je ne vois pas pourquoi il serait jaloux… Donc, au collège, les choses sont difficiles ; les autres élèves de la classe parlent dans mon dos et mes rares amis, qui sont aussi ceux de Sébastien, se montrent assez distants.

Mais tu veux que je te dise le plus drôle ? Tout ça m'est complètement égal. Aujourd'hui, en français, nous avons étudié un poème de Paul Verlaine (c'est un poète du XIXᵉ siècle). Celui qui parle se trouve dans un wagon de train sale et bruyant, mais il pense à la personne qu'il aime :

– Que me fait tout cela, puisque j'ai dans les yeux
La blanche vision qui fait mon cœur joyeux,

Puisque la douce voix pour moi murmure encore,
Puisque le Nom si beau, si noble et si sonore
Se mêle, pur pivot de tout ce tournoiement,
Au rythme du wagon brutal, suavement.

Je ne sais pas si tu pourras comprendre, mais c'est exactement ce que je sentais en pensant à toi. À part l'histoire du train, bien sûr…

J'ai l'impression que rien ne peut m'atteindre tant que je sais que tu es là, dans ma tête et dans mon cœur, mon beau Mark.

Une dernière chose : il m'a fallu trois jours pour écrire cette lettre, car mes parents ne veulent plus que

je me serve de l'ordinateur de la maison quand ils ne sont pas là. Ils préfèrent que je ne t'écrive pas. Ils m'ont même demandé de leur laisser lire nos lettres ! Bien sûr, j'ai refusé. J'ai essayé de te téléphoner avec mon portable, mais les communications avec l'Angleterre sont bloquées. De toute façon, j'ai peur que mes parents surveillent la facture, aussi j'évite de t'envoyer trop de SMS. Je ne peux donc me servir que des ordinateurs du collège, ce qui n'est pas très pratique : je ne peux pas les utiliser aussi longtemps que je voudrais, et je ne suis même pas toute seule dans la pièce…

Donc, ne t'inquiète pas s'il me faut du temps pour te répondre. C'est juste un mauvais moment à passer. Nous nous retrouverons dans moins d'un mois, et c'est tout ce qui compte. Je refuse de penser à ce qui arrivera d'ici là, et à ce qui arrivera après.

Je t'aime.

Juliette

P.S. Réponds-moi sur le mail du collège, pas à la maison.

From: markhemp@netmail.co.uk
To: juliette.crosne@college_prevert.fr
Object: Poetry, songs and arguments
Date: May12, 21:12

Sweet love,

Thank you for your letter. I think I got the poem. I've looked through Shakespeare's plays and sonnets to send you some poetry too, but I couldn't find any thing really fitting, although I do like this piece:

Shall I compare thee to a summer's day?
Thou art more lovely and more temperate
Rough winds do shake the darling buds of May,
And summer's lease has all too short a date.

I'm not really sure what it means actually; it's written in old English. But, somehow, it reminds me of the walk we had close to your place, when you explained me why the "vent d'autan" was blowing so strong. I may be useless with poetry, but there are lots and lots of songs that make me think of you. Like one from the White Stripes:

I just don't know what to do with myself
Going to the movies makes me feel sad
Parties make me feel bad
When I'm not with you

I don't know just what to do with myself
Like a summer rose
Needs the sun and the rain
I need your sweet smile to breathe…

My father heard me playing it over and over on my guitar; he told me it was an old song, and had me listen to an older version (by someone called Dionne Warwick). Anyway, I prefer the White Stripes… Jack White, the guitarist, is amazing.

Dad is now thinking about living in London full time; he told my mother that I should live alternatively at her place and his. They had their first really violent row* in front of me. I really hated that. For days after that, my mother stayed mad at him. And every time I'm with my father, he tries to talk me into asking my mother again.

The point is, do you think either of them asked my opinion? No, of course not! Each of them is so sure he's right…

Sometimes I really feel like going away. I'd take the train to Blakewell and settle there, out in the country, somewhere in the Lake District. There is a place I know, on the shore of a beautiful little lake. I'd really like to bring you there. No one would ever find us… OK, I know this is quite silly, just a dream. Enough foolish thoughts for today. I must rehearse my part (you're going to see me play Romeo after all!). It's been going quite well – of course, I've got a secret for acting better: I think of you as I say the words.

Many kisses, my sweet one.

Your Mark

De : juliette.crosne@college_prevert.fr
À : markhemp@netmail.co.uk
Date : 21 mai, 14:43
Objet : Je le savais…

Voilà. Mes parents divorcent.

Ils n'ont même pas eu le courage de me l'annoncer eux-mêmes. C'est moi qui ai fini par le découvrir. Je me demande quand ils avaient l'intention de m'en parler.

Il y a eu les coups de téléphone au sujet du restaurant, et puis cette semaine de vacances qu'ils devaient prendre pendant que je serais en Angleterre… Quand je leur demandais où ils pensaient aller, ils avaient l'air embarrassés et ne répondaient jamais franchement.

La semaine dernière, ma tante de Toulouse a téléphoné pour m'inviter à passer les vacances d'été dans sa maison de campagne en Aveyron. Ça m'a paru vraiment étrange, parce que depuis que je suis enfant je passe au moins un mois chez elle avec mes cousines. Alors, pourquoi avait-elle besoin de m'appeler tout spécialement pour me le dire ?

Cela m'a mis la puce* à l'oreille. Je lui ai donc répondu qu'il faudrait sans doute que j'aide Papa et Maman au restaurant. Là, elle s'est mise à bredouiller et à changer de sujet. C'est comme ça que j'ai compris qu'il se passait quelque chose.

Hier matin, au petit-déjeuner, j'ai demandé à mon père s'il allait vraiment revendre le restaurant. J'ai cru qu'il allait s'étrangler dans son café ; j'ai continué à lui poser des questions sur ce que nous allions faire, si nous allions déménager de nouveau, etc. Pour finir, il m'a dit qu'il ne savait pas vraiment ce qui allait se passer, mais que lui et maman ne s'entendaient plus très bien, et qu'ils allaient profiter de la semaine où j'étais en Angleterre pour réfléchir chacun de leur côté.

Je lui ai dit que j'avais très bien compris qu'ils allaient divorcer. Il m'a répondu que je me trompais, que rien n'était sûr, mais je sais qu'il mentait.

Bref, une fois encore, heureusement que je pense à toi, que je sais que tu es là pour moi et que nous nous verrons dans moins d'un mois, sinon, je ne sais pas comment je pourrais supporter tout cela.

Quand je ferme les yeux, j'imagine que tu me serres dans tes bras, mon bel ami, mon amoureux.

Ta Juliette

From: markhemp@netmail.co.uk
To: juliette.crosne@college_prevert.fr
Object: Re: Je le savais
Date: May 23th, 21:43

Dearest Ju,

I wish I were with you now and could take you in my arms. I know from experience how hard these moments are. And I can't even tell you it's going to get better soon. Because of this business about shared custody*, my own parents are arguing more and more every day. My father is even talking about suing my mother, although he seemed so indifferent up 'til now…

For your parents, all I know is it's better for them to be separated than to be together and quarrelling all the time. Or, at least, it's better for you to not witness your parents arguing.

I've got bad news, too. Mr Chapman, the drama teacher, just informed us that there will be no acting during the school party, when you and your class are here. He says that it's because we don't know our roles and that we didn't work hard enough to perform the play. But I think he's lying. He's been sick for three or four whole weeks, during which time we couldn't rehearse properly and he never made up those missing classes.

So it's his fault but he's blaming us.

Of course, I was really looking forward to playing Romeo in front of you. But that's not the point. I've realised that you can't trust grown-ups. As a matter of fact, I can't think of anyone I can trust. Except you.

I love you, Juliette. I'm here for you. I'll comfort you. All we have is each other and that is a beautiful thing.

I'm counting the days before we meet again.

With all my love,

Mark

De : juliette.crosne@college_prevert.fr
À : markhemp@netmail.co.uk
Date : 26 mai, 11:49
Objet : Une semaine

Mon amour,

Les choses sont de plus en plus difficiles ici. Mes parents ne se parlent presque plus ; le restaurant est fermé et des gens sont déjà venus visiter notre maison. Je ne sais pas où j'irai après les grandes vacances*.

Au collège, nous enchaînons les interrogations et les devoirs : les profs veulent avoir terminé les notes et les conseils* de classe avant que nous partions en Angleterre. Je n'arrête pas de travailler, pas tellement parce que les notes m'intéressent, mais parce qu'au moins cela me permet de penser à autre chose.

Et puis, je vais te revoir dans à peine sept jours. Tu me prendras dans tes bras, et j'y resterai toute ma vie.

À bientôt mon bel amour.

Juliette

06/09

Dear Mum,

I'm sorry.

Since I got back from France, there is something I've been wanting to tell you. I'm in love with Juliette.

We lied to you. For the last three days, at school time, we've been pretending to be sick, and we stayed home together. But somehow, one of Juliette's classmates found out. The bastard told on us. And now Juliette's parents know everything.

They just called here; I answered, and tried to calm them down. To explain that we are in love. But they won't listen. They are quite mad about it all. They want Ju to go home at once or at least to go to someone else's place. And I know you'll probably agree with them.

But it's simply not going to happen. We want to stay together and we don't feel like putting up with punishments and everybody's remarks and sarcasm. We don't feel like being treated like children by adults who don't know any better.

Juliette and I have spent the most beautiful moments of our lives together. We share so many things and feel so fine when we're together. Everything is simple, beautiful, perfect. We don't want it to end.

We are in love. You grown-ups can't believe or

accept that. That is why we're so tired of you. Besides, you, Dad and Juliette's parents, will all be better off without us to take care of.

Please forward the enclosed letter to Juliette's parents: *Mr and Ms Crosne, Le Calzié, 31380 Villeneuve-de-Lauragais, France.* I think you can find their number with the school. Juliette says to give them a kiss for her.

We've decided to go away together. We'll be fine. Leave us alone. Don't try to find us or we'll do something terrible. We mean it.

Your loving son,

Mark

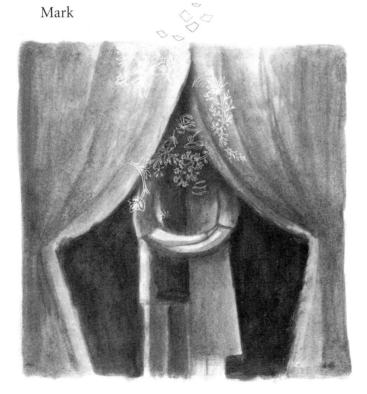

THE LONDON INDEPENDENT

Young lovers' romantic runaway

Young lovers from both sides of the Channel flee from parents and school – Last seen in a railway station – Special Unit Police searching for them

London.

A pair of young lovers is believed on the run from their school and parents. Mark Hempton, 15 years old, and his French pen-pal, 14-year-old Juliette Crosne, who was staying in England for a week-long school exchange, are reported missing from the Hempton's home. In a letter to their parents, the two minors explain that they are in love and "tired of the adults world". They want to be "left alone" and threaten to "do something terrible" should anyone look for them.

It seems that both Mark and Juliette come from disrupted family backgrounds, but had been as "good, quiet and reasonable pupils" by their teachers. Some of their schoolmates, however, indicate that the two teenagers had been having a romantic relationship since they first met in France last April.

The runaway couple was last seen on Tuesday afternoon in Euston Station, trying to board a train heading north, to the Lake District or Scotland.

Special Unit Officer Peter McDonehy says police are currently on their trail and are confident that the two young lovers will be found safe soon.

LA DÉPÊCHE
DU SUD-OUEST

Roméo et Juliette sauvés de la noyade

Après deux jours de recherche, les deux adolescents fugueurs (voir notre édition d'hier) ont été retrouvés au moment où ils tentaient de mettre fin à leurs jours.

Londres.

Les parents de la jeune Juliette C., 14 ans, originaire de Villeneuve-sur-Lauragais, et de Mark H., 15 ans, originaire de Bakewell (Angleterre), se sont retrouvés hier au chevet de leurs enfants, à l'hôpital Saint-Thomas de Londres, où une équipe composée de médecins et de psychologues spécialisés les a accueillis.

Dimanche, les recherches menées par l'Unité Spéciale de la police britannique avaient permis de localiser les deux adolescents fugueurs dans une région montagneuse du Lake District, au nord-ouest de l'Angleterre, où ils avaient trouvé refuge. Mais l'histoire a bien failli tourner au drame : comprenant qu'ils allaient être rejoints, les deux jeunes fugueurs ont décidé de se jeter dans un des nombreux lacs qui parsèment la région. Une lettre trouvée sur les lieux montre que leur intention était de « nager ensemble jusqu'à l'épuisement » pour « échapper au monde des adultes ». Fort heureusement, les pompiers-plongeurs de Bakewell sont arrivés à temps pour repêcher les deux adolescents ; leur état de santé n'est pas jugé « préoccupant » et leurs jours ne sont pas en danger.

79

Juliette, mon amour,

I watched you while you were sleeping, in the hospital. It was frightening to see you lying there, all in white, unconscious.

Hard times are coming for us, my dear. We'll have to explain what we did and to face people's judgements.

We did something really stupid. At the last moment in the lake, when I saw you drowning, I realized it was a terrible mistake, like a kids' game that had gone really, really wrong.

But it's OK now. You're safe, and we won't ever do that again. They told me I was in shock and half conscious. But I could hear and see everything around me. And I had this dream.

We were in a kind of a cavern, maybe at the bottom of the lake. There was this old man, with a grey beard and a smile. He had a strange light in his eyes. You and I were holding hands sitting on a bench in front of him. And he told us something I don't really remember. It was about love and patience. About life being the stuff that dreams are made of.

I remember he told me that love is stronger than time. We have all the time in the world, my love. In just a few years, we'll be able to choose for ourselves. Maybe then we'll see what happened to us as a stupid romantic dream.

Maybe. But, in my dream, the old man seemed to laugh at the very idea.

Be confident. Even if we are apart, I know you're here for me, and you know the same.

That is what my dream taught me. We'll meet again.

Je t'aime.

Mark

Mon amour,

Je sais que toi seul peux me croire, mais au moment où je coulais dans le lac, au moment où j'ai senti ma main glisser de la tienne, j'ai fait exactement le même rêve que toi.

Je t'aime.

À très bientôt.

Juliette

VOCABULAIRE / VOCABULARY
QUIZ
SCÈNES D'AMOUR / LOVE SCENES

BONUS

Bruits (faire courir des) : répandre des racontars, des mensonges sur quelqu'un.

Casse : (familier) ferraille. *Bonne pour la casse :* inutilisable.

Classe de 4e : 3e année de collège (vers 13-14 ans).

Clavier : tablette d'un ordinateur ou d'une machine sur laquelle on tape lettres et chiffres.

Conseil de classe : réunion des professeurs en fin de trimestre pour faire le bilan du travail de chaque élève.

Correspondre/-ant/-ance : s'écrire des lettres, des e-mails.

Grandes vacances : vacances d'été.

Internet : système d'information mondial via un réseau d'ordinateurs.

Intime : personnel. *Journal intime :* récit que l'on écrit, en général chaque jour, pour soi-même.

Ordinateur : machine électronique (PC, Mac) permettant entre autres d'envoyer des e-mails ou de consulter Internet.

Puce à l'oreille (mettre la) : donner des soupçons.

Répéter : s'entraîner avant la représentation publique d'un spectacle (théâtre, musique…).

Retrouvailles : moment où l'on revoit quelqu'un que l'on n'a pas vu depuis longtemps.

Sécher (un cours) : (familier) ne pas aller en classe, volontairement.

Soulagé : rassuré.

Surfer (sur Internet) : faire des recherches.

Taper : utiliser les touches d'un clavier.

Touche : bloc représentant une lettre, un chiffre ou un signe sur un clavier.

Bug (to): to annoy.

Bully (to): ill-treat (to) someone using strength or threat.

Cheer up (to): to comfort.

Clumsy: tactless, careless.

Custody: legal right to look after a child. *Shared custody*: when the custody of the children is split between divorced parents.

Drama class: acting class.

Excerpts: short piece taken from a larger piece of a work (text, music...).

Foul (to): in a game or sport, to do something which is forbidden by the rules.

Gloomy: sad, blue.

Grumpy: ill-tempered.

Inbox: reception file of an electronic mail system.

Jam (to): to improvise music together.

Jittery: nervous.

Lines: text of a theatre role.

Misunderstanding: situation where two persons don't understand each other.

Obnoxious: unpleasant.

Part: role in a play.

Pen-pal: friend to whom you write letters.

Rehearse (to): to practice a show or a concert before performing in front of an audience.

Row: verbal fight with someone.

Schedule: programme.

Score: written version of a piece of music.

Second-term holiday: Easter holiday.

Stage: place where theatre plays are performed.

Strain: stress.

Term: school period of three months.

Troubleshooting software: electronic system which helps avoiding or solving problems.

Whine (to): to complain.

LETTRE DU 7 OCTOBRE

1. *Juliette vit*
a. à Toulouse.
b. à Paris.
c. dans la région de Toulouse.

LETTER DATED NOV. 3ʳᴰ

2. *Mark lives*
a. in Bakewell.
b. in the London suburbs.
c. in Scotland.

LETTRE DU 27 NOV.

3. *Juliette a choisi de correspondre avec un garcon.*
a. Vrai
b. Faux

LETTER DATED DEC. 7ᵀᴴ

4. *Mark's hobbies are:*
a. playing the violin.
b. taking drama classes.
c. playing football.

E-MAIL DU 23 DÉCEMBRE

5. *Qui est Sébastien ?*
a. Le petit ami de Juliette
b. Le frère de Juliette
c. Le voisin de Juliette

EMAIL DATED JAN. 3ᴿᴰ

6. *Why did Mark spend Christmas in Scotland?*
a. Because his father lives there.
b. To take pictures of the Scottish winter.

E-MAIL DU 5 JANVIER

7. *Pendant les vacances de Noël, Juliette est allée voir* Roméo et Juliette *au théâtre.*
a. Vrai
b. Faux

EMAIL DATED JAN. 7ᵀᴴ

8. *Mark plays the role of Romeo.*
a. True
b. False

EMAIL DATED JAN. 17ᵀᴴ

9. *How many mistakes can you count in Juliette's email in English?*
a. Less than 5
b. Between 5 and 10
c. More than that

E-MAIL DU 17 JANVIER

10. *Les notes de Juliette en anglais s'améliorent parce que*
a. elle travaille beaucoup.
b. Mark lui fait ses exercices.
c. elle lit en anglais.

E-MAIL DU 14 FÉVRIER

11. *Juliette s'est bagarrée avec un garcon qui se moquait d'elle à cause de Mark.*
a. Vrai
b. Faux

EMAIL DATED FEB. 23ᴿᴰ

12. *Why did it take a long time for Mark to answer Juliette's last mail?*
a. Because he was sick.
b. Because he was busy.
c. Because he was angry.

E-MAIL DU 28 FÉVRIER

13. *Juliette semble*
a. jalouse.
b. amère.
c. déçue.

EMAIL DATED MARCH 1ˢᵀ

14. *When reading Juliette's email, Mark feels*
a. sad.
b. angry.
c. happy.

E-MAIL DU 3 MARS

15. *Sébastien a peu d'amis parce qu'il vient d'arriver au collège.*
a. Vrai
b. Faux

E-MAIL DU 10 AVRIL

16. *Juliette passé une bonne soirée avec Sébastien et leurs parents parce que*
a. elle est tombée amoureuse de lui.
b. ses parents se sont réconciliés.
c. les parents de Sébastien sont sympas.

EMAIL DATED APRIL 12ᵀᴴ

17. *Mark fell in love with Prisca, who plays the role of Juliet*
a. True
b. False
c. We do not know.

POURMARC.DOC 28/04

18. *Juliette a écrit cette lettre*
a. avant l'arrivée de Mark.
b. quand Mark dormait chez elle.
c. après le départ de Mark.

EMAIL DATED APRIL 30ᵀᴴ

19. *How did "old Mr Shakespeare help" Mark?*
a. Reading Shakespeare helped Mark think about something other than Juliette.
b. Mark could copy a few verses for Juliette.
c. Mark understood his feelings. thanks to Shakespeare's texts.

E-MAIL DU 9 MAI

20. *Lorsqu'ils découvrent que Juliette et Marc sont amoureux l'un de l'autre, les parents de Juliette*
a. leur interdisent de s'écrire.
b. ne veulent plus que Juliette parte en Angleterre.

EMAIL DATED MAY 12ᵀᴴ

21. *Shakespeare wrote*
a. plays.
b. novels.
c. sonnets.

E-MAIL DU 21 MAI

22. *Juliette a deviné*
a. qu'elle allait en vacances chez sa tante.
b. que ses parents divorçaient.
c. qu'ils déménageaient.

EMAIL DATED MAY 23ᵀᴴ

23. *Mark will not play Romeo because*
a. he is being punished.
b. Prisca scratched him.
c. the show is cancelled.

NEWSPAPERS

24. *The two newspapers tell about the same event*
a. from different points of view.
b. at different moments in time.

Solutions p. 94

William Shakespeare, *Romeo and Juliet,* 1594.

Act II – Scene II

Juliet – […]

Dost thou love me? I know thou wilt say 'Ay',
And I will take thy word; yet, if thou swear'st,
Thou mayst prove false; at lovers' perjuries
They say Jove laughs. O gentle Romeo,
If thou dost love, pronounce it faithfully.
Or if thou think'st I am too quickly won,
I'll frown and be perverse and say thee nay,
So thou wilt woo; but else, not for the world.
In truth, fair Montague, I am too fond,
And therefore thou mayst think my haviour light;
But trust me, gentleman, I'll prove more true
Than those that have more cunning to be strange.
I should have been more strange, I must confess,
But that thou over-heard'st, ere I was 'ware,
My true love's passion: therefore pardon me,
And not impute this yielding to light love,
Which the dark night hath so discovered.
[…]

Sweet, good-night!
This bud of love, by summer's ripening breath,
May prove a beauteous flower when next we meet.
Good-night, good-night! as sweet repose and rest
Come to thy heart as that within my breast!
Romeo – O! wilt thou leave me so unsatisfied?
Juliet – What satisfaction canst thou have to-night?
Romeo – Th' exchange of thy love's faithful vow for mine.
Juliet – I gave thee mine before thou didst request it;
And yet I would it were to give again.
Romeo – Wouldst thou withdraw it? for what purpose, love?

Juliet – But to be frank, and give it thee again.
And yet I wish but for the thing I have.
My bounty is as boundless as the sea,
My love as deep; the more I give to thee,
The more I have, for both are infinite
[…]
Romeo – O blessed, blessed night! I am afeard,
Being in night, all this is but a dream,
Too flattering-sweet to be substantial.
Juliet – Three words, dear Romeo, and good night indeed.
If that thy bent of love be honourable,
Thy purpose marriage, send me word tomorrow,
By one that I'll procure to come to thee,
Where and what time thou wilt perform the rite;
And all my fortunes at thy foot I'll lay,
And follow thee, my lord, throughout the world.

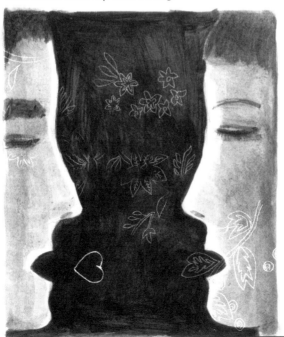

Edmond Rostand, *Cyrano de Bergerac*, 1897.

Acte III – Scène 7

Cyrano – Le moment vient d'ailleurs, inévitablement, – et je plains ceux pour qui ne vient pas ce moment ! – où nous sentons qu'en nous une amour noble existe que chaque joli mot que nous disons rend triste !

Roxane – Eh ! Bien ! Si ce moment est venu pour nous deux, quels mots me direz-vous ?

Cyrano – Tous ceux, tous ceux, tous ceux qui me viendront, je vais vous les jeter, en touffe, sans les mettre en bouquet : je vous aime, j'étouffe, je t'aime, je suis fou, je n'en peux plus, c'est trop ; ton nom est dans mon cœur comme dans un grelot, et comme tout le temps, Roxane, je frissonne, tout le temps le grelot s'agite, et le nom sonne ! De toi, je me souviens de tout, j'ai tout aimé : je sais que l'an dernier, un jour, le douze mai, pour sortir le matin tu changeas de coiffure ! J'ai tellement pris pour clarté ta chevelure que comme lorsqu'on a trop fixé le soleil, on voit sur toute chose ensuite un rond vermeil, sur tout, quand j'ai quitté les feux dont tu m'inondes, mon regard ébloui pose des taches blondes !

Roxane, d'une voix troublée – Oui, c'est bien de l'amour…

Cyrano – Certes, ce sentiment qui m'envahit, terrible et jaloux, c'est vraiment de l'amour, il en a toute la fureur triste ! De l'amour, – et pourtant il n'est pas égoïste ! Ah ! Que pour ton bonheur je donnerais le mien, quand même tu devrais n'en savoir jamais rien, s'il se pouvait, parfois, que de loin, j'entendisse rire un peu le bonheur né de mon sacrifice ! Chaque regard de toi suscite une vertu nouvelle, une vaillance en moi ! Commences-tu à comprendre, à présent ? Voyons, te rends-tu compte ? Sens-tu, mon âme, un peu, dans cette ombre, qui monte ?… Oh ! Mais vraiment, ce soir, c'est trop beau, c'est trop doux ! Je vous dis tout cela, vous m'écoutez, moi, vous ! C'est trop ! Dans mon espoir même le moins modeste, je n'ai jamais espéré tant ! Il ne me reste qu'à mourir maintenant ! C'est à cause des mots que je dis qu'elle tremble entre les bleus rameaux ! Car vous tremblez, comme une feuille entre les feuilles ! Car tu trembles ! Car j'ai senti, que tu le veuilles ou non, le tremblement adoré de ta main descendre tout le long des branches du jasmin ! (*Il baise éperdument l'extrémité d'une branche pendante*)

Roxane – Oui, je tremble, et je pleure, et je t'aime, et suis tienne ! Et tu m'as enivrée !

Cyrano – Alors, que la mort vienne !

« Le paysage dans le cadre des portières »,
La Bonne Chanson, **Paul Verlaine, 1870.**

Le paysage dans le cadre des portières
Court furieusement, et des plaines entières
Avec de l'eau, des blés, des arbres et du ciel
Vont s'engouffrant parmi le tourbillon cruel
Où tombent les poteaux minces du télégraphe
Dont les fils ont l'allure étrange d'un paraphe.

Une odeur de charbon qui brûle et d'eau qui bout,
Tout le bruit que feraient mille chaînes au bout
Desquelles hurleraient mille géants qu'on fouette ;
Et tout à coup des cris prolongés de chouette.

Que me fait tout cela, puisque j'ai dans les yeux
La blanche vision qui fait mon cœur joyeux,
Puisque la douce voix pour moi murmure encore,
Puisque le Nom si beau, si noble et si sonore
Se mêle, pur pivot de tout ce tournoiement,
Au rythme du wagon brutal, suavement.

**"I just don't know what to do with myself",
song by Burt Bacharach and Hal David, 1962.**

I just don't know what to do with myself
Don't know just what to do with myself
I'm so used to doing everything with you
Planning everything for two
And now that we're through

I just don't know what to do with my time
I'm so lonesome for you it's a crime
Going to a movie only makes me sad
Parties make me feel as bad
When I'm not with you
I just don't know what to do

Like a summer rose
Needs the sun and rain
I need your sweet love to beat all the pain

I just don't know what to do with myself
I just don't know what to do with myself
Baby, if your new love ever turns you down
Come back, I will be around
Just waiting for you,
I just know what else to do.

Note: This song has been interpreted by many artists.
The excerpt which is quoted in the novel is the one by The White
Stripes (*Elephant*, 2003).

1 c	13 a b c
2 b	14 a
3 b	15 b
4 b c	16 b c
5 c	17 b
6 a	18 b
7 a	19 c
8 b	20 a b
9 b	21 a c
10 c	22 b
11 a	23 c
12 b	24 b

● Tu as de 14 à 20 bonnes réponses
Between 14 and 20 correct answers

→ Y a-t-il une langue où tu te sens moins à l'aise ?
Which language is more comfortable for you?

● Tu as de 20 à 25 bonnes réponses
Between 20 and 25 correct answers

→ Bravo !
Tu as lu attentivement !
Congratulations.
You read attentively!

Score

● Tu as moins de 14 bonnes réponses
Less than 14 correct answers

→ Tu n'as sans doute pas aimé l'histoire...
Didn't you like the story?

● Tu as plus de 25 bonnes réponses
More than 25 correct answers

→ On peut dire que tu es un lecteur bilingue !
You really are "a dual reader"!

Table des matières / Table of contents

Création graphique et mise en page : Zoé Production.

Loi n° 49-956 sur les publications destinées à la jeunesse
Dépôt légal : septembre 2006.

Achevé d'imprimer en France par France Quercy.
N° d'imprimeur : 61879A